エイズの村に生まれて

命をつなぐ16歳の母・ナターシャ

後藤健二

汐文社

もくじ

第1章

エイズ・キャンペーン

ある年のクリスマス、私は東京にいました。ちょうどアフリカ大陸の南にあるザンビアという国からもどってきて、作った番組を放送し終わったところでした。

アフリカの国々では、エイズによってたくさんの人たちの命が奪(うば)われています。家族を支(ささ)える両親をエイズで亡(な)くして、残されたおじいさんやおばあさん、子どもたちが生活していけなくなったり、身寄(みよ)りのないたくさんの孤児(こじ)が施設(しせつ)に預(あず)けられたりしていたのです。

私は、華(はな)やかに飾(かざ)り付けがされた店をながめながら歩いていました。街には若(わか)いカップルたちが幸せそうに腕(うで)を組んで、はしゃぎながらショッピングを楽しんでいました。私は、ザンビアで出会った人たちのことを思い出しながら、日本は平和だなあと思っていました。

どの店にも、プレゼント用のいろいろな品物がならべられています。きらきらした〝MERRY CHRISTMAS!〟の文字で飾(かざ)られたショーウィンドウをながめているうちに、ふと、ある店で意外なものを見つけました。

かわいらしいデザインの缶(かん)が、棚(たな)にならべられていました。棚には「クリスマス限(げん)定(てい)エイズ・キャンペーンオリジナルデザイン缶入りコンドーム」と商品名が書かれていました。さらに、その売り上げの一部が、エイズで親を亡(な)くした子どもたちの支援(しえん)や若者(わかもの)のエイズ教育のために寄付(きふ)されます、と書いてありました。

（ふーん、なるほどぉ）

私は感心するとともに、

（でも、これってアフリカや東南アジアの国々に広がっているエイズのことだけしかイメージしていないのだろうな。日本人は、エイズは外国での出来事だとか、自分たちには関係のないことのように思っているし……。けして、自分のすぐ横にある病気とは感じることはできないのだろうな）と思いながら、手にとった限定デザイン缶を棚にもどして店を出ました。

私は、クリスマスでにぎわう街をまた歩き始めました。

数年前までは日本のニュースで、今年のエイズの原因となるウィルス（ＨＩＶ）に感染した人は何人いて、昨年よりも何人増えたかなどと伝えていました。子どもたちへのエイズ教育も注目されていました。しかし、今はテレビや新聞やラジオからそのようなニュースはほとんど流れてきません。

じゃあ、いったい日本のエイズ事情はどうなっているのか？

患者への治療はどのようにおこなわれているのか？

エイズの母親から生まれた子どもたちのケアはどこでどうおこなわれているのか？

そもそもエイズをひきおこすウィルスに感染してエイズを発症してしまった母親が

赤ちゃんを産んだケースはあるのか？

私の頭は、そんな疑問でいっぱいになってしまいました。

私たちが忘れてはいけない大切なことがあります。日本では今、エイズの原因となるウィルス（ＨＩＶ）感染者とエイズを発症した患者を合わせて一万一千人を超えているという事実。そして、特に十代の若者たちの間で信じられないほど増え続けているという現実です。


ウイルスに感染してしまう道は、主に三つあります。


一つめは、性行為（セックス）によるもの。人から人へとうつっていきます。

二つめは、他の人が使った注射針を使いまわすこと。

三つめは、エイズの母親から産まれる子どもへと感染する母子感染。

一つめは、性行為をするときにコンドームなどの避妊具を使うことで防ぐことができます。

二つめは、個人的な使用であっても、医師による使用であっても、一回使った注射針は使わないようにすれば、防ぐことができます。

三つめは、母親が、まず身ごもった赤ちゃんを産むか産まないかということを決断しなければなりません。赤ちゃんがエイズにならずに健康に育っていくことができるのかと考えると……。想像もできないほど大きな不安があることでしょう。今では医療が発達して、限られた先進国では母子感染は防ぐことができると言われています。一方で、エイズ患者である母親の治療は、薬が赤ちゃんに悪い影響をおよぼすのではないか、という心配もあり、まだ難しい点がたくさんあります。

エイズは防ぎようのない病気ではけしてありません。

三つの感染する道とそれぞれ防ぐ方法がわかっているのですから、ウィルスの感染はかんたんに予防できるはずなのです。感染経路のわからないＳＡＲＳや鳥インフルエンザなどよりも、コントロールしやすいはずなのです。

しかし、実際には日本でも世界でもエイズをとめることはできていないのです。

第2章

美しい国で急増するエイズ

ヨーロッパの北にあるエストニアの首都、タリン。

昔から、バルト海に面した北欧の大きな商業都市として栄えてきました。

私が訪れたのは、ちょうどうららかな春の始まりでした。石畳の歩道や広場は、自動車ではなく馬車が行きかっていた時代を思いうかべる風景です。街角では、色とりどりの切花を売っているおばあさんたちがいます。広場に面したカフェでは、観光客やビジネスマンが心地良い陽気を楽しむように、レストランの外の席で昼食をとっています。自由な時間と豊かさを満喫しているようでした。

美しいタリンの街なみ

私は、こんな美しい国でエイズ患者が急増しているということがまったく信じられませんでした。

きっかけは、国連の世界のエイズの状況を調べた報告書を読んでいたときでした。新しく独立した国々で、エイズをひきおこすウィルスに感染する人が急激に増えているという内容でした。気になって、インターネットで調べてみると、たまたま外国のニュースの記事を目にしました。

「エストニアとロシアの国境に、住民のおよそ九割がエイズのウィルスに感染しているという村がある。その村は人びとから『エイズの村』と呼ばれている。」

『エイズの村』って、いったい？　私はこれまで、アフリカ大陸やアジア地域のエイズ問題などを取材してきましたが、『エイズの村』という呼び方はあまりに衝撃的で、まったく想像ができませんでした。

とりあえず、タリンの街でエイズの問題に取り組んでいるＮＧＯ「エイズ予防センター」を訪ねました。ここはエイズに関する相談の窓口となり医療機関と協力して無料で血液検査を行っています。

エストニアのウィルス感染者は、判明しているだけで千五百人ほど。そのうちの九十%は、ここ一年以内に感染が確認された人たちです。

センター長で医師のカリコバさんは、昨年からほとんど垂直に伸びている感染者数の棒グラフを見せながら、私の質問にとまどうことなく答えてくれました。

「なぜ、こんなにも急激に感染者が増えてしまったのでしょう？」

「それは、麻薬の問題と結びついているんです。」

「麻薬を使うことで、なぜエイズになってしまったのですか？」

「私たちの国が独立してから、この数年、注射器を用いて麻薬を使う人が増えました。ここでは、麻薬の原料を安く手に入れることができます。そして、自分たちの家で麻薬の液体を作るのです。その自家製の麻薬を一本の注射器に入れて、仲間たちで使うのです。パーティのゲームのように、次から次へと針を新しいものに変えないまま回しうちしていくのです。

　例えば、その仲間の中に不幸にもエイズになってしまった人がいたとしましょう。注射針についたウィルスは布でふいたぐらいでは死にません。次に同じ注射針を使って麻薬をうった人は、自分の体内にエイズをひきおこすウィルスを流しこんでしまうのです。そうやって、一人の感染者から一度にたくさんの人たちがエイズのウィルスに感染してしまうのです。」

　麻薬の原料を買うと、注射器もいっしょについてくると言います。私は、あまりの手軽さに驚きました。自宅で友人たちとパーティをする感覚なのです。

エイズ予防センター長のカリコバさん

「麻薬が安くてかんたんに手に入るのはなぜなのですか？」

「もともと、エストニアのエイズの広がりは、隣(となり)の国ロシアからの影響(えいきょう)が大きいのです。麻薬の原料は、アルコールよりも安い値段で手に入ります。エストニアはもともとロシアと同じ国だったのですから、経済(けいざい)や社会、人の流れもひんぱんです。エイズなどの感染症(かんせんしょう)もまずロシアでまんえんして、私たちの国にも広がったのです。私たちはとても近い隣人(りんじん)なんです。国境(こっきょう)の東側はすぐロシアに接しています。家族がロシア側に暮(く)らしている人たちも少なくありません。国境地帯では麻薬の原料がいくらでも手に入りますし、エストニアで麻薬を売ってもうけようとする人たちもいます。

十年ほど前までは麻薬の使用だけが問題だったのですが、今になってエイズを発症する人たちが出てきました。エイズの知識がなかったために知らない間に感染してしまっていたのです。

国境にナルヴァという町があります。その小さな町がこの国のエイズの震源地ですよ。」

「住民の九十％が感染者だと聞いたのですが？」

「行けばわかります。あそこで何が起こっているか、あなたの眼でしっかり見てきてください。」

第3章

『エイズの村』を訪ねて

私は、とにかくロシアとの国境の町ナルヴァに行ってみることにしました。長距離バスで六時間以上、着いたとき時計の針は午後四時をさしていました。

ドライバーにうながされて降ろされた小さなバスターミナルには、まったく人影がありません。観光案内所を示す〝I〟の文字のある小屋を見つけましたが、閉まっています。一人で大きなテレビカメラと三脚を抱えて、私は一瞬とほうにくれました。

しばらくすると、タクシー（らしき車）が通りがかりました。私はその車をすかさず止めて、ホテル探しをてつだってもらうことにしました。ドライバーはロシア人です。ほとんど英語は話せませんが、私の望みは通じたらしく、古くて小さなお城のようなホテルに連れて行ってくれました。
濃い灰色をした石で建てられた四百年以上はたっていそうな建物のホテルの内部は、石の穴倉のように真っ暗で私はあまり泊まりたくありませんでした。でも、ナルヴァにはこのホテルしかないということで、仕方がありません。

町の様子を見ようとタクシーを一日借り切りました。町で一番大きな通りに、コンビニエンスストアのあるガソリンスタンドがひとつ、そのとなりに平屋建ての新しいショッピングセンターがあるくらいの小さな町。つい最近できたというマクドナルドは若者や家族連れで大変な盛況ぶりです。それに、ゲームセンターの派手な看板が目立ちます。小さな商店はほとんど閉まっています。

ナルヴァの町に流れる川の対岸は、もう、すぐロシアです。もともとエストニアはロシアと同じソビエト連邦というひとつの国でした。ナルヴァの住民も、その九五％がロシア系の住民です。エストニア語も英語もほとんど話せません。

ナルヴァでの取材は、「エイズ予防センター」のカリコバ医師に教えてもらったN

川をはさんで左側がナルヴァ、右側がロシア

ＧＯ「リハビリテーション・センター・フォー・ドラッグユーザーズ・アンド・アルコホーリックス（麻薬中毒とアルコール中毒の人たちのためのリハビリセンター）」を訪ねることから始めました。

　ロシア語で住所の書いてあるメモをドライバーに渡すと、町のはずれの林の中にある病院らしき敷地に入っていきました。車はその一角にある小さな平屋の建物の前で止まりました。

「リハビリテーション・センター・フォー・ドラッグユーザーズ・アンド・アルコホーリックス」は、ナルヴァで唯一麻薬とエイズの問題に取り組んでいるＮＧＯです。建物の看板にはセンターの名前が英語とロシア語の両方で書かれていました。

ドアをノックすると中から髪をふりみだして背の高い中年の女性が出てきました。センターの責任者であるマギロバさんでした。

「ケンジさんね、カリコバさんから話は聞いています。さっ、どうぞ！」

マギロバさんは親切に迎え入れてくれました。事務所には十代から三十代くらいのスタッフたちが四、五人入れ代わり立ち代わり忙しそうに出入りしていました。ひときわ体格のいい男性は、マギロバさんの夫ターニャさんです。彼らは少しですが英語を話すことができたので、私は少しほっとしました。

センターには、畳六畳くらいの事務室と五十人くらいがイスで座れる小さな集会室、カウンセリングルーム、それに血液検査をするクリニックがあります。

センターには洋服の入った大きな紙袋などが、ぎっしりと置かれていました。ちょうど週末に開かれるバザーの準備の真っ最中だったのです。

事務所で若い女性がジャムを入れたロシア風の紅茶を出してくれて、私はようやくフーッと一息つきました。

私は、マギロバ夫妻とスタッフに、なぜナルヴァに来たのか、何を取材しようとしているのかについて話しました。

「この町がエストニアで急激に増えているエイズの震源地だと聞いてやってきました。いったい何が原因でこうなっているのか、取材して日本の人たちにも伝えたいと思っています。協力してくださいますか？」

彼らは身を乗り出して、真剣な表情で聞いていました。なにせ、私がエストニア人以外で、初めてナルヴァを訪れたジャーナリストだったのですから。

センターの名前からもわかるように、マギロバ夫妻は、もともとアルコール中毒や麻薬中毒になってしまった人たちのリハビリを行うために活動を始めました。特に麻薬患者とその家族のケアが活動の中心でした。しかし、一年前から血液検査もするようになりました。麻薬の使用とエイズの関係が、エストニア国内の新聞やテレビで取り上げられ、問題になり始めてきたからです。

「なぜ、こうした活動を始めたのですか？」

「今、私たちの町には『麻薬』という大きな問題があります。多くの友人が麻薬で死んでいます。五年前まで、私は学校で働いていました。夫は教会で働いていました。ある日、親友の一人がやってきて麻薬から逃れるためにはどうしたらいいのかと相談してきました。助けてくれと言われても、最初はどうやっていいのかわかりませんでした。

夫はその親友と麻薬を止めたがっている友人を数人連れて、教会で神さまの話をしたり、祈ることによって苦しみから逃れられるんだというような話を毎日続けたのですが、うまくいきませんでした。麻薬を欲しがっている彼らには神さまなど必要なかったのです。結局、暴れ始めたり、部屋から物がなくなったりしました。最初は、何もできなかったのです。

ある日、新聞でカリコバさんの『エイズ予防センター』のことを知りました。ナル

マギロバ夫妻

ヴァは、そのときすでにエストニアで最も職のない人たちが多い町、そして麻薬中毒者が多い町として有名になっていました。だから、カリコバさんに連絡をして、自分たちの置かれていた状態を相談したのです。

彼女は、『まず、ナルヴァにも予防センターを作ることにしなさい』とアドバイスしてくれました。最初の活動費用は援助してくれましたが、それよりもどのようにセンターを運営して行けば良いのか、どんなスタッフが必要なのかなど、いっしょに考えてくれました。また、市役所の医療課に相談して、病院の敷地内にこの建物を借りることができたのです。」

エストニアでは、もちろん麻薬を使うことは法律で禁じられています。しかし、あるとき、刑務所の麻薬患者の血液を検査したところ、たくさんの人からエイズウィルスが確認されたのです。

エイズが発症するのは、二年～十年後。その検査結果を見たタリンの「エイズ予防センター」のカリコバさんは、今麻薬の使用を止めないと、数年後には怖ろしい数のエイズ患者をうむことになると政府やメディアに訴えていたのです。

ナルヴァで活動していたマギロバ夫妻は、麻薬の使用とエイズ感染が大きく関係していることを知り、このままでは大変なことになると確信しました。すぐにタリンのカリコバさんに連絡して、協力して助けてくれるように相談したと言います。

さて、私が取材をするにあたって、問題は通訳をどこで探すかでした。これまで私は世界中を取材してきましたが、ナルヴァよりももっと何もない土地の方が多かったくらいです。それでも現地で英語の通訳を見つけることに苦労した経験はあまりありません。しかし、ナルヴァでは学校の英語の先生以外に英語を話せる人がいないのです。それもわずか四、五人。

「英語の通訳をやといたいのですが、だれか知り合いはいますか？」

と聞くと、マギロバさんはさっそく知り合いに連絡してくれました。三軒目に電話をした知り合いからようやく紹介してもらって、明日から取材を手伝ってくれることになりました。それに泊まる場所もホテルはやめて、明日からは自分たちの家に泊まるように言ってくれたのです。

私は感謝の気持ちでいっぱいでした。最初は、くわしい資料はない。知り合いもいない、英語も通じない、今回はいったいどうなることかと不安に思っていましたが、現地の人たちの助けで取材ができるようになったのです。

マギロバ夫妻はホテルまで送ってくれました。石の穴倉のように真っ暗なホテルには大小のろうそくの炎が灯されて昼間よりも美しく思えました。窓を開けて外をながめると濃紺の夜空にすいこまれそうになりました。私は、着替えることもなく、ベッドに倒れこんだまま眠ってしまいました。

翌朝、マギロバさんが車で迎えに来てくれました。九時半頃、センターに着くと、もうすでに通訳の女性がドアの前で待っていました。

軽くあいさつをして、マギロバさんをふくめて取材の打ち合わせをしました。これから何をどんな目的で取材するのか、日本ではどのように使われるのか、といった点について説明をして理解してもらいました。

センターでは、平日の午前中、毎日血液検査が行われています。まずその様子を取材させてもらうことにしました。

検査室のドアには、「エイズ検査は匿名」と書かれていました。血液検査には、毎日たくさんの市民が訪れています。この一年間で血液検査を受けた人数は、およそ八百人。そのうち三百三十人がエイズをひきおこすウィルスに感染していることがわかりました。看護師のイリーナさんが検査した人たちの結果を記したファイルを見せて

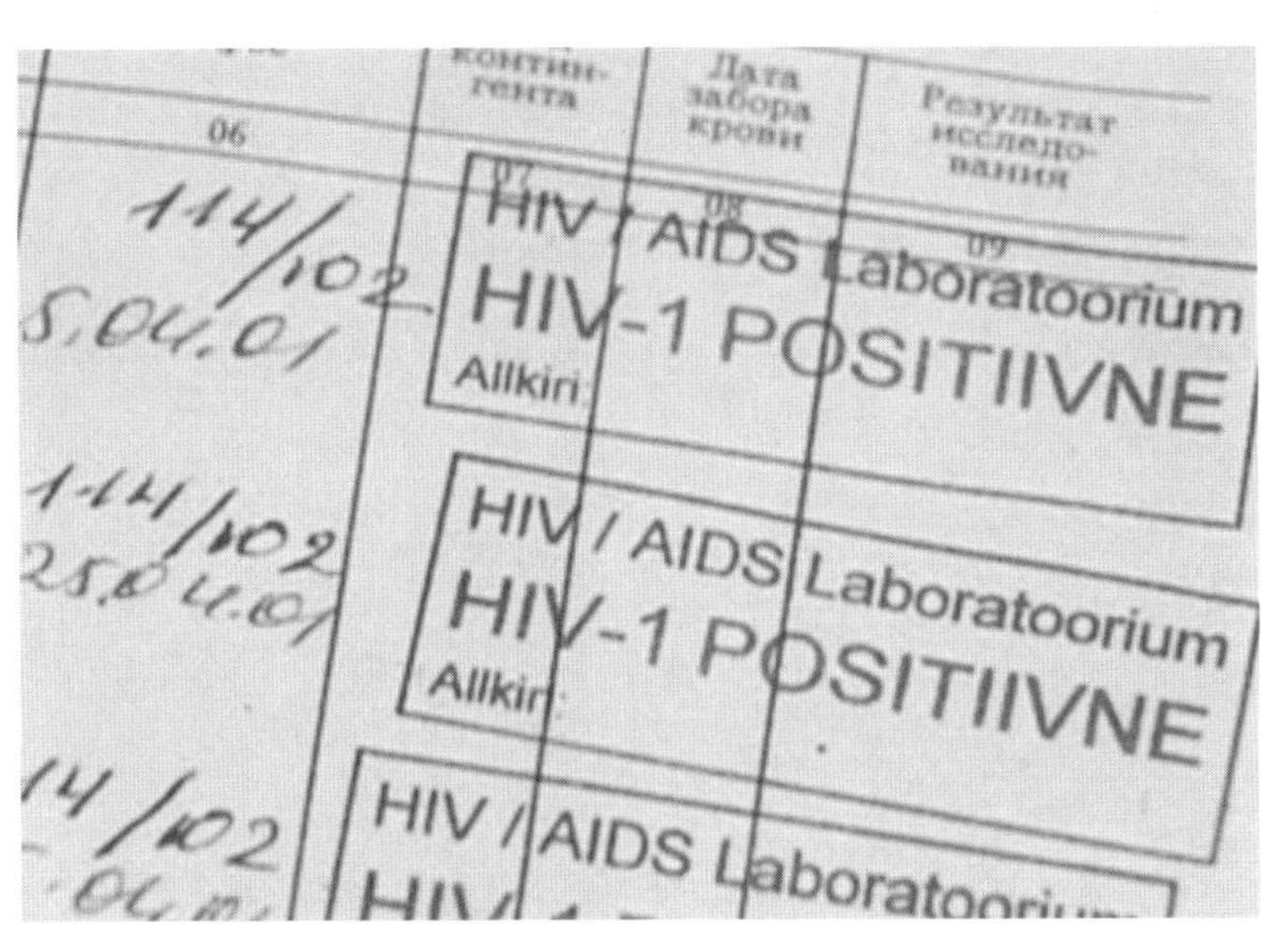

エイズ検査の結果用紙。「陽性」の結果がならぶ。

くれました。

私は、目を疑いました。ほとんどの人たちの検査結果の欄に、ウィルスに感染したことを示す〝POSITIVE〟（陽性）の判が、青いインクで押されていたのです。

（うわっ！）

私は、声が出てしまいそうなのをとっさに抑えました。本来なら知ってはいけない個人の情報かもしれないと思ったからです。でも、大きな驚きとともに心臓の鼓動が激しくなるのを感じました。

〝POSITIVE〟（陽性）の青い判のある人たちは、エイズを発病してしまえば死んでしまう人たち——いわば死を待つ人たちです。

　検査を受ける人数は、この三か月うなぎのぼりに増えています。すでに二五二人の感染がわかっています。特に、十代の若者を中心にエイズは爆発的に広がっていました。

「二か月で二十人以上が陽性反応を示したときもありました。エイズを発症する可能性があるということですね。とても怖くなりました。私はそのとき初めて、（来た人だけでこの数字なのだから、来ない人たちのことを考えたら）と、ぞっとしてしまいました。」

　ちょうど、すでにウィルスに感染していると結果の出た二十二歳の女性と、そのボーイフレンドがセンターにやってきました。ボーイフレンドはまだ高校生です。二人は麻薬をいつも使っているため、ボーイフレンドも感染しているのではないかと不安になり、血液検査を受けに来たのです。

　二人は看護師のイリーナさんに、

「麻薬を使っていたのは、週に一、二回です。でも、彼女がウィルスに感染していることがわかって、具合も悪くなりました。もしかしたら、私自身も感染しているかもしれないと、とても怖くなったのです。」

と言いました。

「怖くなるのは当然です。だから、正しい知識を持って、きちんと考えなくてはならないのよ。わかる？　あなたたちは、もう麻薬を止めなければならないのよ。」

しかし、麻薬に一度手を出してしまったら急に止めることは難しく、たいていの人がまた使ってしまいます。せめて他の人が使った注射針を使うことはしないようにと、イリーナさんは新しい注射針を渡しました。薬が渡せないため、今はこの方法しかないと言います。さらに、コンドームとエイズに関する小さなパンフレットを渡しました。コンドームはだれとセックスをするときにも必ず使うようにときつい口調で指導しました。

また一人、背が高くてハンサムな男性が検査室に入ってきました。今度は、私から質問してみました。

「なぜ、検査を受けようと思ったのですか？」

「確かめて安心したかったんです、市内では今エイズがまんえんしていますから。思いがけない出来事で、エイズのウィルスに感染してしまったらとすごく不安になりました。医師たちに言わせると、エイズはいろんな方法で感染するとのことです。麻薬を使ったり、コンドームなどの避妊具を使わないでセックスしたりすると感染するといわれてはいますが……。自分が、いつどこでそういう状況に直面するかもしれないですから、予防も必要だと思って……。やっぱり、死にたくないですからね。」

看護師のイリーナさんが血液を採取しながら男性にたずねました。

「麻薬は使っていますか？」

「いいえ、五年くらい前までは使っていましたが、今は仕事があるので使わないようにしています。」

「コンドームや避妊具は使っているの？」

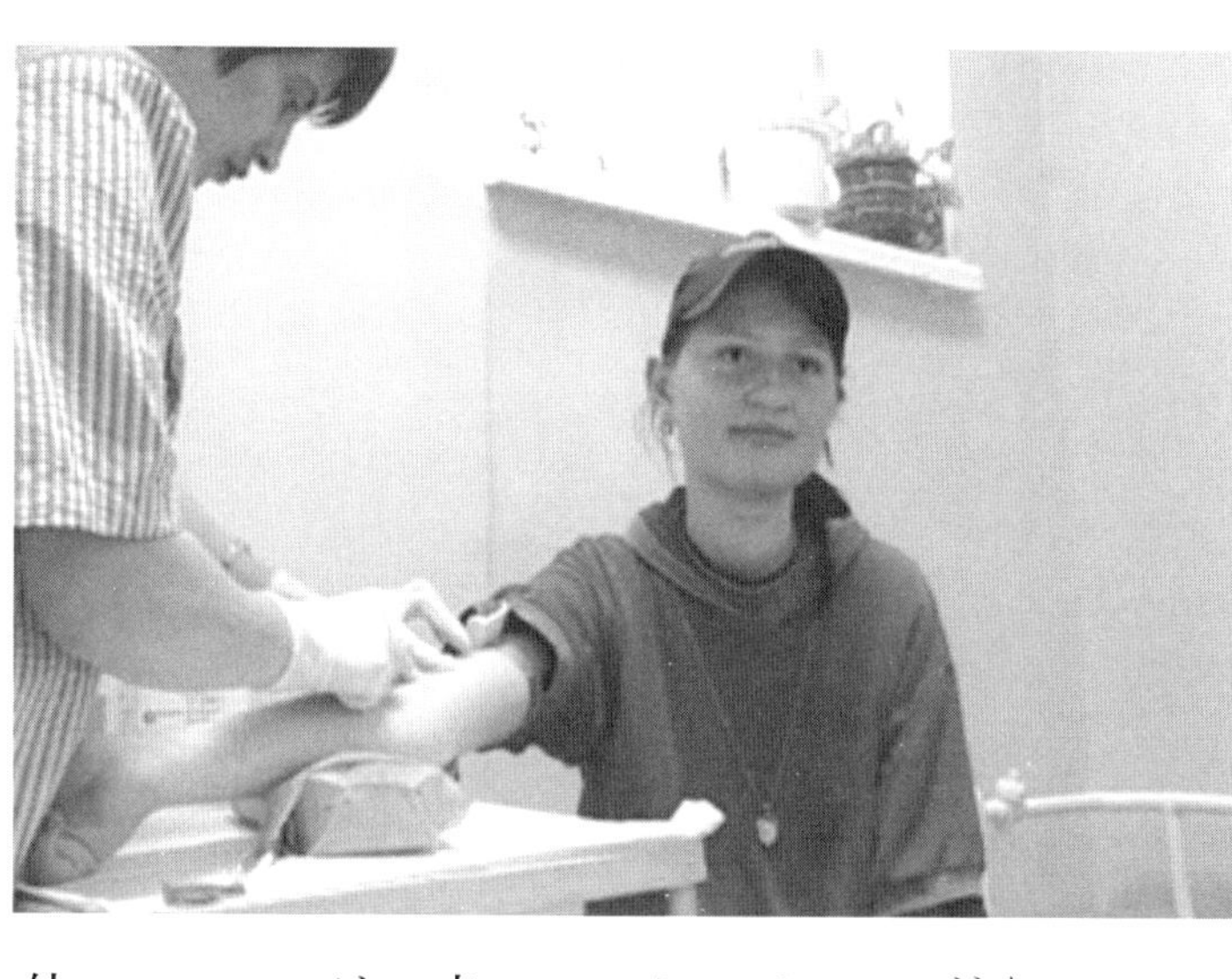
エイズ検査を受ける少女

「いいえ、買うお金もありませんし、使いません。」

イリーナさんは、彼にもコンドームと新しい注射針と小さなパンフレットを渡しました。

「一週間後に電話であなたの受付番号を言ってください。あなたの検査結果をお伝えしますから。感染が認められた場合は、こちらからもっと早く連絡することもあります。センターに来てもらって治療に関してカウンセリングを受ける必要がありますからね。」

イリーナさんは、エイズ検査のために採血の仕事を引き受けた、たった一人の看護師です。

看護師もみんな怖れていると言います。薄いゴム手袋に採血した針を刺したりしてしまったら、看護師もエイズウィルスに感染する危険性があるからです。採血した針はプラスチック製のゴミ箱に捨てられ、病院の焼却場で焼かれたあと、地面にうめられています。

イリーナさんは、自分も麻薬を使った経験があると私に告白してくれました。かつて国立病院の看護師だったイリーナさんは、エストニアが独立して間もなく、リストラされてしまいました。彼女はやけになって、人にはだまって麻薬を使っていたそうです。

看護師であるイリーナさんは注射針の使い回しが危険だということは知っていました。そのため、ウィルスに感染することはありませんでした。しかし、生活はみだれ、掃除も洗濯も子どもの世話もしなくなりました。

そんな時に出会ったのが、支援活動を始めたばかりのマギロバさんでした。イリーナさんは、マギロバさんのセンターに通って仕事を手伝うようになりました。麻薬中毒になった人たちが日々やせ細っていく姿や、彼らの悲惨な死を目にするようになって、完全に麻薬を止める決心がついたと言います。

私はイリーナさんが、検査に来た人たちにとても厳しく説明する理由がわかった気がしました。

「ここに来る人たちは、エイズについてどのくらい知っているのですか？」

「ほとんどみんなが、エイズに関して全く知識がありませんし、準備ができていない人たちです。それぞれいろんな質問をしてきます。電話でも質問をしてきます。どのようにして感染するのかと話をすると、みんなはもしかしたら自分も感染しているのではという気持ちになります。麻薬患者の人たちはすでに注射針を通じて感染している可能性がとても高いですからね。それに、自分は麻薬は使っていないけれど、恋人が麻薬を使っていると、セックスを通して相手からうつされているのではないかと不安になって、ここへやってくる人もいます。」

「十代の子が多いと聞きましたが？」

「はじめはほとんど来ませんでした。でも、感染が広がり始めたころから本当にたくさんの子どもたちがやってくるようになりました。ほとんどは麻薬を使っている子どもたち。しかも、十二歳、十三歳、十四歳、十五歳の子どもたちが検査に来るようになりました。私の娘も十四歳ですから、かなり心配になるときがあります。

毎日わたしは、こうした子どもたちとなるべく話をするようにしています。麻薬や、避妊をしないでセックスすることがエイズにつながるのですよと、説明してわかってもらおうとするのですが、彼らは『麻薬もセックスもみんなやっていることだし、自分だけ仲間はずれになったらつまらないから。別に他にやりたいこともないし……』といった具合に軽く考えています。

彼らのそういう意識を変えるのはとても難しい。あきらめてしまうこともあります。どうやってこの世代を救えばいいのか……」

検査室の廊下（ろうか）に置かれたプラスチック製（せい）のイスには、血液（けつえき）検査をしにきた若者（わかもの）たちが順番を待っていました。中には、小学校高学年くらいの三人の少年グループもいて、パンフレットを見ながらにやにや笑ったり、冗談（じょうだん）を言い合ったりしていました。

第4章

十六歳エイズの母親と出会って

血液検査の様子をひと通りカメラで撮り終えたころ、マギロバさんは私に声をかけました。

「感染症病棟がすぐとなりにありますから行きましょう。」

感染症病棟は、病院の本館とは川を隔てた細長い木々の林の中に、ひっそりと立っていました。マギロバさんは、そこに入院しているエイズをひきおこすウィルスに感染した十六歳の少女に話を聞くことができるようにたのんでおいてくれたのです。その少女は、一か月少し前に出産したばかりだということでした。

「えっ？　もう赤ちゃんを生んでしまっているのですか？　自分が感染しているの

感染症病棟

がわかっていながら？　赤ちゃんもエイズのウィルスに感染してしまう母子感染のケースかもしれません。母親も赤ちゃんもエイズを発症してはいないのですか？」

私は、歩きながら話を聞きました。

まだエイズに関する知識や対策がまったく進んでいないのに、もうすでに母子感染（母親から赤ちゃんへエイズをひきおこすウィルスがうつってしまうこと）というケースも出ていることに驚きました。このとき、私はエイズの怖ろしさをあらためて感じました。赤ちゃんの場合、エイズを発症してつぎつぎに病気に襲われたら、生きていけません。

エイズは広がり始めたらどんどん勢いを増していきます。大人も子どももこれから産まれてくる命でさえ、あっという間にむしばまれていってしまうのです。

　マギロバさんが私にくわしい説明を終える前に、もう病棟についてしまいました。職員用の裏口です。ところどころさびた灰色の鉄製のドアをあけて、病棟の中に入りました。

　看護師長らしき白衣を着た中年の女性が、私たちを明るく迎えてくれました。病棟内は窓から射しこむ明かり以外に電気はついていません。私が昨晩泊まったホテルと同じように薄暗い建物です。町全体が電力不足なので、昼間は電気を使わないようにしているのです。

　お見舞いの家族や看護師たちでざわめいている廊下の一番奥に、ビニールで仕切られた一角がありました。ビニールの仕切りの前で、看護師長から半透明のビニール製の帽子、上着とズボン、手袋、マスク、靴にかぶせるビニールを渡されました。マギロバさんと私はそれらを身につけて、ビニールで仕切られた一角に入っていきました。

病室は三つありましたが、使われているのは真ん中の一室だけでした。

（十六歳のエイズの少女と彼女が生んだ赤ちゃん。母子感染しているかもしれない。）

私は、アフリカのザンビアで出会った、やせ細って起き上がる体力すらないエイズ患者や高熱で玉のような汗をかいている赤ちゃんの姿を思い出していました。

トン、トン、トン……病室の木製のドアをノックしました。看護師にみちびかれて私たちは部屋の中に入りました。

病室のベッドには、赤毛で色白の少女が私たちに背を向けて腰かけていました。彼女は少し身をかがめたままの姿勢で、すぐに笑顔でふり向きました。彼女の腕の中には、これまた透き通るように白い肌の赤ちゃんがいました。赤毛で色白の少女は、ちょうど赤ちゃんにほにゅうビンでミルクを飲ませていたところでした。

私は、そのあどけない笑顔を見て、緊張感が薄らいでいきました。少女の笑顔を見るまで、私が会う人は寝たきりのエイズ患者という先入観があったからです。

ナターシャ・クリロバさん、十六歳、そして生後七週間のバレリアちゃん。妊娠したときは十五歳だったと言います。

看護師長さんとマギロバさんは、私がナルヴァにやって来た理由を、ロシア語で彼女にひと通り説明すると、バザーの準備があるからと言って、病室を出て行ってしまいました。

私は、ひとまずカメラは回さずに、あいさつをして取材の目的を話しました。いきなり、知らない外国人がテレビカメラを持ってやってきたらだれだって驚くし、不安や恐怖を感じることもあるからです。それから家族のことや、今の病状や治療のことなど、エイズとあまり関係ない話をしました。

私が「あとでインタビューさせてもらえますか？」と聞くと、彼女は少し恥ずかしそうに「いいですよ、構いません」と言ってくれました。

私はそのあと、彼女の担当医師と感染症の病棟の院長先生に話を聞きました。ナターシャと赤ちゃんの病状と治療の具合を、彼女のインタビューの前に確かめておきたかったからです。

ナターシャの担当医師（左）と感染症病棟の院長（右）

院長は牛乳ビンの底のような分厚いレンズをかけていて、担当医師は金髪で厳しそうなベテランの女性の医師でした。

「ナルヴァの麻薬中毒者の数は四千〜五千人です。それだけ、麻薬が身近にあるということです。ナターシャもその一人でした。

ナターシャは、この国でエイズをひきおこすウィルスに感染しながら子どもを産んだ初めてのケースです。赤ちゃんは生まれてから七週間目に入りました。ウィルスを持った母親から生まれた初めての赤ちゃんです。

赤ちゃんは、今、発育不良で栄養が体全体に十分行き届いていません。理由のひとつには、母親であるナターシャがエイズウィルスに感染しているため、赤ちゃんに母乳が与えられないということがあります。」

「粉ミルクでは十分ではないのですか？」

「ナターシャ自身がもともと若かったためか、赤ちゃんは生まれたときからとても小さく力のない状態でした。それに、生まれてからウィルスに抵抗するためにレトロピールシロップを与えられています。」

「バレリアちゃんは、ナターシャから母子感染していますか？」

「赤ちゃんの場合は、エイズのウィルスに感染しているかを確定するのに、一年半から二年かかります。生まれたばかりの赤ちゃんはさまざまな病気に対する力を徐々に作っていきます。これからウィルスをおさえこむ力が体内で作られることもあるのです。」

でも、私はウィルスに母子感染して生まれてきた子どもたちのほとんどが、エイズを発症して三歳になるまでにいろいろな病気でなくなっていくことを知っていました。彼らの「まだ赤ちゃんだから……」という説明は、私にはむなしいものに聞こえました。

「ウィルスに感染すると、すぐに治療や薬を与えられます。でも、これはとてもお金のかかることで、患者にとって大きなストレスになります。感染したら、エイズを発症させないように一生薬を飲んでいかなければならない。その費用を負担するのは大変なことなのです。」

「確かに。〝一生〟ですからね。大変な経済的な負担がかかりますね。ただ、私が聞きたかったのは、これからナターシャに治療の望みがあるのかどうか？ということです。」

治療の望みがあるかどうかをたずねるときは、私にとっても胸が痛くなる瞬間でした。十六歳の少女と生まれたばかりの赤ちゃんが、この後どのくらい生きられるのかわかってしまうからです。

エイズをひきおこすウィルスを体内から消し去る治療薬はまだありません。発病したら死はあっという間にやってきます。

「私たちは、この状況は理解できますが……、自信を持って説明できません。われわれも、われわれの病院の他の医師たちも、どうすることもできないのです。非常に残念です。私たちは治療を始めることすらできません。あるいは、治療しても無意味です。」

院長先生と女性医師は、一瞬顔を見合わせて、おたがいにどちらかが話を続けるのを待っているようでした。でも、二人とも無言で首を横に何度もふるだけでした。

私は、今これ以上質問しても同じ答えしか返ってこない気がしました。二人の医師、通訳、私と四人が言葉をなくしていたとき、不意に通訳の携帯電話がなって沈黙が破られました。


それから、医師たちといっしょにナターシャの部屋にもどることにしました。

ナターシャは、また笑顔で迎え入れてくれました。彼女はいつも笑顔でした。

ナターシャは昼食を食べずに残したまま、彼女のかたわらにはお昼過ぎのミルクを飲み終えたバレリアちゃんがベビータオルにくるまってすやすやと眠っていました。病院の昼食は貧しいものでした。一切れのパンにバターとチーズ一かけ、それに小さな角切りのキャベツとニンジンがほんの少し入った薄いスープだけでした。

女性医師は、ナターシャの体調を聞き、バレリアにシロップを飲ませることを忘れないようにと言って病室を出て行きました。

私は、カメラの三脚をセットして、インタビューの準備を始めました。準備の間は、たいてい通訳が質問の内容や世間話などをしながら、相手の緊張をほぐしてくれているものです。通訳の女性は、ナターシャのお姉さんのような感じでやさしく接してくれていました。

カメラをセットしてファインダーをのぞいていると、病室の天井のペンキははげ落ち、背景になる壁は真っ白で何も映すものがないことに気がつきました。ベッドわきのテーブルの上には、残された昼食、二種類の薬のボトル、小さなコップ、それにカメラが置かれているだけでした。

私は、そのシンプルな部屋がとてもさびしく感じました。

インタビューが始まりました。

「エイズのウィルスに感染したことをいつ、どのように知ったのですか？」

「娘を産んだとき。三月二十三日です。」

「何と言われたんですか。」

「この娘の出産のとき、看護師さんと話していて、なぜかよく覚えてないんですけれど、エイズの話題になって……すぐに検査を受けたの。朝だったから、その日の正午ころに検査の結果が分かったわ。小児科の先生がきて結果を教えてくれたわ。」

「感染していると言われて、最初にどう思いましたか？」

「エイズという病気のことは知っていました。でも、エイズという病気がどうやってうつるのかについては、よく知らなかった。もちろん、注射針を他人と使い回したり、セックスでウィルスに感染することは知っていたけれど、日常生活の中でも、たとえば感染した人のセキからでもうつると思っていたの。だから、すぐに妹のことを思い出しました。彼女も麻薬をやっていたし、きっと彼女のせいだと。妹はいつもセキをしていたし、同じ部屋で寝ていたから、きっと彼女からうつったんだと、最初は妹を責めていたの。

でも、そんなことはありえないことだってわかった。自分でも理解できないことが起こって、(だれかのせいだ)としか考えられなかったんだと思う。

私の人生はこれで終わりだという思いが、時間がたつにつれて大きくなっていったわ。それから、これからは娘と二人だけで生活しなければいけないと。でも、どうして私が……」

笑顔で話していたナターシャの表情がくもったと思ったら、またたくまに、彼女の目から大粒の涙があふれ出しました。そして、私たちから顔をそらして下をむきました。

数十秒か、一、二分か、病室には沈黙が続きました。彼女が涙をぬぐい、また恥ずかしそうに笑顔を向けてくれるのを待ちました。そして、私はゆっくり話し始めました。

「落ち着いて。エイズのウィルスに感染しても発病しなければ、必ず死ぬとは限りません。今は発病を抑える薬も開発されているのだから。」

でも、そうした薬がナルヴァのような田舎の小さな町で手に入るはずはありません。首都タリンの一番設備の整った病院で治療が受けられれば、発病を抑える薬をもらえるでしょう。国がエイズ対策に力を入れて、ナターシャのような患者をただで治療するシステムが整えられれば、ナターシャを救うこともできるのです。

それにしても、麻薬や注射針の使いまわしやセックスでエイズをひきおこすウイルスに感染する危険があると知っていながら、なぜ、彼女は手を出してしまったのでしょうか？　いったいどういう考えだったのか、彼女にたずねました。

ナターシャが初めて麻薬を使ったのは、お正月のお休みのとき。友だちといっしょにディスコクラブに行ったときだったと言います。

4. 十六歳エイズの母親と出会って

インタビューに答える
ナターシャ

「ただ試してみたかっただけ。みんながやっているから私もやるという感じで。」

彼女はとてもかんたんに答えました。

「麻薬をやると、エネルギーが体内に流れこみ、一晩じゅう疲れなくて、エネルギーいっぱいで踊れるって、みんなが言っていたから、私も試してみたくなったの。」

「頭痛薬やカゼ薬に使われているアンフェタミンという薬を使う人もいるよね？君が使ったヘロインは何倍も強い麻薬だよ。それを、なぜ注射器を使って？」

「えぇ、そうです。みんなアンフェタミンかヘロインのどちらかを選ぶ。でも、ほとんどの子たちはヘロインを選ぶわ。ヘロインだと、酔っぱらっているようになって気持ちがとてもよくなるっていうことはみんな知っているから。」

「周りの同級生たちも知っているんだね？」

「麻薬ってどういうものなのか、みんな試してみたいと思っているわ。難しいことを考えたくない、嫌なことを忘れてしまいたい、思いっきり踊ってすっきりしたいとみんな思っているんです。現実から逃げ出してしまいたいって、どこか遠くへ行ってしまいたいという感じなの。」

「もし、そのとき友達といっしょに麻薬を注射することを断っていたとすれば、仲間はずれにされたと思う？」

「いいえ、別に何もなかったと思う。クラブに踊りに行くことには変わりなかったし、麻薬を体験する前は、ビールやワインなどのお酒を飲んで酔っぱらっていたから。いつも何か飲んでいたわ。みんなが酔っぱらって楽しく踊ったり、話したりしているのに、自分だけついていけなかったりしたら行ってもつまらないでしょう。」

ナルヴァでは、麻薬の方がお酒よりもはるかに安く手に入ります。しかも、ヘロインという麻薬の場合は、原料になる草を安く買ってきて自分たちの家の台所で液体を作ることができるのです。おこづかいのない学生や、仕事のない人たちにとって、一番身近で気軽に遊べる道具なのです。その液体ヘロインを注射器を使って血液中に流しこむと幻覚を見たり、夢が現実になったように感じたり、自分に自信が持てたり、ただただ楽しい感覚になったりします。

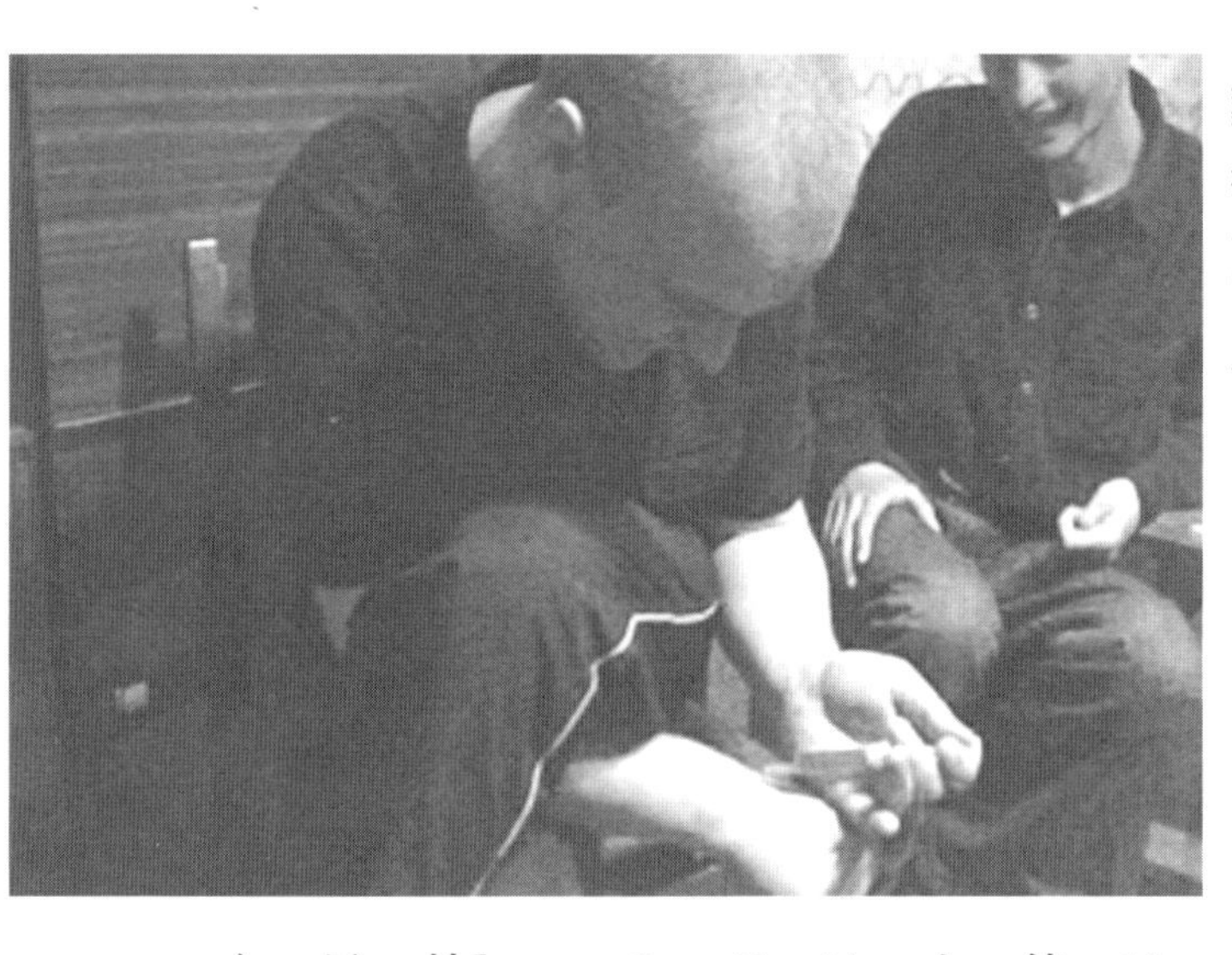

麻薬を打っている人

でも、そうしたヘロインによる「楽しい感覚」は、時間がたてば消えてしまいます。つまり、使い続けないと得られないものなのです。あぁ、またあのハッピーな感覚を味わいたいと使い続けるうちに、ヘロインがなくてはふだんの生活が送れなくなります。〝中毒〟になってしまうのです。

ヘロインや麻薬の怖さはここからです。薬の効果が切れそうになると、恐ろしい夢や幻覚を見るようになります。麻薬中毒になった人の話を聞くと、

「だれかが自分を殺しにくるのではないか！」

「自分の体がアリに食いちぎられている！」

「人の顔がわけのわからないモンスターに見える」

……とにかく、強い幻覚症状と不安感におそわれます。それから逃れようと、また麻薬に手を出したり、ついには殺人を犯すことも少なくありません。

また、体にも変化を及ぼします。筋肉や脂肪の成分が体からとけ出してしまい、急激にやせていきます。骨や関節も弱くなっていきます。当然、何を食べても栄養は取れませんから、骨と皮だけにやせこけて死んでいってしまうのです。

ヘロイン・麻薬は、一度使ってしまったら中毒になってしまう怖ろしいものなのです。

ナターシャは麻薬を始めたのと妊娠をした時期が重なりました。

彼女もまた、麻薬中毒になる寸前でしたが、医者や母親から麻薬はたとえ少ししか使わなかったとしても、お腹の赤ちゃんに悪い影響を及ぼすと聞かされて、もう絶対にやらないと決意したと言います。彼女は、妊娠がわかったことで、麻薬を止めることができたのです。

「ところで、バレリアちゃんのお父さんは？　君の恋人の話を聞きたいのだけれど？」

「彼の名前は、リョーシャ。今は高校を中退して、ドイツに働きに行っているわ。私が妊娠したと告白したからかどうかわからないけれど。でも、彼はあまり喜んではくれなかった。私は、リョーシャから感染したかもしれない。彼はいつも避妊をしなかったから。でも、彼には何も言えなかった。コンドームを使ってなんて言えなかったの。」

ナターシャは、照れくさそうに小さい笑顔をつくって答えました。

彼女は、注射針からウィルスに感染してしまったのかも知れないし、恋人との性行為からかもしれません。彼女は自分がエイズになってしまったことを必死に受け入れようとしているようでした。

私は、彼に今こそ彼女のそばにいてあげてほしいと思いました。でも、バレリアちゃんが生まれてから、リョーシャからの連絡は一度もないと言います。仮に理由があるにしても、逃げるように外国に働きに行ったままでは、無責任と責められても仕方がありません。若い二人とはいえ、赤ちゃんを授かったのですから。

「そうね、私は確かにエイズのウィルスが注射やセックスでうつると知っていたわ。でも、自分自身がそんな目にあうなんて思ってもみなかった。私はこれからどうすればいいのかわからない。リョーシャとずっといっしょにいたいの。」

ナターシャの目から、また涙がこぼれました。

通訳の女性が体を前かがみにしてナターシャに近づき、言葉をかけながら彼女の左腕を大きくさすりました。

私は、インタビューを終えることにしました。しばらくナルヴァにいることを伝え、何か変わったことがあったら電話してくださいと通訳の女性の電話番号をメモに書いて渡しました。

もう夕方近くになっていました。窓から、オレンジ色の陽射しが病室の真っ白い壁に射しこんでいました。

第5章

あきらめない人たち

マギロバ夫妻のお家に泊めてもらうことになって、夜は夫妻といろいろな話をすることができました。

「エイズをひきおこすウィルスに感染している人が爆発的に増えた原因が、麻薬にあることはわかりました。そして、治療をしても麻薬を止めなければむだであることもわかりました。でも、いったいどうしたらいいのでしょう？　三人に一人が職を持たない中で、どうやって生活していけばいいのか。

それに、この町の人たちはロシア語しか話すことができません。エストニアの他の土地、例えば首都のタリンに行って働くこともかんたんではないでしょう。

どうやって解決していこうと考えていますか？」

私は自分が感じた絶望感もこめてたずねました。

「エイズの問題は、なんとしても解決しなければなりません。今こそ取り組まないと、大きな破局につながってしまいます。」

「大きな破局？」

「そうです。私たちの町でおこっていることは、もしかしたら単なる田舎の小さな町で起こっている限られた現象かも知れません。でも、これは世界中の人たちにとっての不幸に広がっていくかもしれません。エイズの問題は、炎が小さなうちに消すことができなかったら、炎が全世界をおおうことになるかもしれないのです。」

「人は旅行もするし、仕事がなければ外国に行くかもしれないですよね。」

「そう、あなたがナルヴァに来たのがいい例です。私たちはたがいにすごく遠く離れて住んでいるように感じるけれど、もう今は、世界はとても狭いです。この町はロシアと面しています。ナルヴァから車で国境を越えて二時間も走れば、ロシアの大きな都市に行くことができます。そこから世界中に出て行くことだってできるのです。私たちがどこに住んでいようが、世界のどこかで問題が起これば、世界の人たちは関心や注意をむけるべきだと思います。『明日はわが身』なんですよ。」

「関心や注意を向けさせるためには、何が必要だと思いますか？」

「世論をまきこむ必要があります。そして、情報を交換したり、おたがいに支援の手をさしのべることですよ。」

マギロバ夫妻のセンターでは、さまざまな活動をしています。麻薬患者に対しては、町のバス停や広場にスタッフ（その男性もまた元麻薬患者）が出て行って、注射針の使い回しをするとエイズになると解説されたパンフレットを配ったり、古い注射針と新しい注射針を交換する活動を、ほとんど毎日行っています。

注射針を配るなんて、麻薬を使うことを助けることになるだけじゃないか、と批判を受けたこともあったと言います。でも、麻薬が止められない人たちがそこら中にい

町で注射針を交換したり、パンフレットを配るスタッフ

る今、エイズの広がりを食い止めるためには必要な方法なのです。

「ウィルスの広がり、爆発的な感染を防ぐにはこれからどうしていったらいいのでしょうね？」

「具体的には、ひとつのプログラムですべての問題を解決することはできません。原因が複雑にからみ合っていますから、それぞれに対応したたくさんのプログラムが必要です。たとえば、予防教育プログラム、麻薬患者に対するプログラム、リハビリテーション、職業訓練や紹介、エイズ患者やその家族に対するカウンセリングなど。それらを細かくケアしていかなくては。」

夫の答えに、マギロバさんが付け加えました。

「注射針や注射器の交換、路上でのコンサルティング活動、コンドームを配るとか、住民の間での広報宣伝活動、麻薬患者に対するリハビリテーション……すべてです。感染した人はさらに新しい感染者をつくっていく可能性があるんです。だから、感染した人と感染していない人たちの間に、いわば〝塀〟をつくる必要があります。エイズ感染は注射針の使い回しで起こるだけではないでしょう。セックスによってもうつっていくのですから。エイズのウィルスに感染する可能性があるすべてのケースについて、予防策を考えていかなければ止めることはできないのです。考えられるすべての方法で防がなくてはなりません。」

「多くの手間や人手を必要としますし、なんといっても費用がかかりますね？」

マギロバ夫妻は少し苦笑いをしました。

「私たちの一番の悩みはまさにそこです。私たちは忍耐が必要です。そう、本当に忍耐ですよ。」

忍耐――耐えるといっても、スタッフの給料や検査の道具、いろいろなパンフレットの印刷費、無料で配る新しい注射針、どうしても生活できない患者たちへのわずかな生活費の援助、そして自分たち家族の生活費などなど、たくさんの費用がかかります。

マギロバ夫妻は、タリンにある「エイズ予防センター」のカリコバさんの組織から援助してもらったり、支援してくれそうな外国の組織に手紙を書いたりして、何とか活動を維持しています。ナルヴァ市もようやく彼らの活動を認めて、イベントの会場をかしてくれたり、センターの建物を改装する費用を援助してくれるようになりました。でも、血液検査に来る人が増え続け、エイズウィルスに感染している人が増えるにつれて、センターの活動も大きくなってきています。活動にかかるお金はまだまだ足りません。

それでも、家族で協力し合ってセンターを運営しているマギロバさん。自慢は、二人の娘と末っ子の男の子です。私は、夫妻が子どもたちのために一生懸命働いて、その姿を見て、子どもたちも積極的に手伝っているんだということがわかりました。

（あきらめないで戦っている人たちがここにはいるんだ）

そう思うと、私もがんばろうと思うことができました。


マギロバさん一家の朝食はロシア式です。ポーリッジと呼ばれるお米のシリアルを牛乳で混ぜて温めたおかゆのようなもの、パン、ジャム、チーズ、それに紅茶です。中学生の二人の娘が学校に行く前に用意してくれます。メニューは毎日変わりません。

朝食をとっていつもいっしょにセンターに向かうのですが、この日、私は買い物がしたかったので、町に最近できた唯一のショッピングモールで車から下ろしてもらいました。

ショッピングモールといっても平屋建てで、五分ではしからはしまで見て回れる程度の大きさです。でも、スウェーデンの会社が作ったという目新しさもあって、平日の午後や週末にはたくさんの人たちが訪れます。

私はバレリアちゃんに何かプレゼントしたいと思っていました。ナターシャの病室には何もなかったからです。ぬいぐるみ売り場に行って、くまのプーさんの物語に出てくる耳の長いピンクのブタのぬいぐるみを買いました。ピンクの色と顔がとても愛らしかったのと、手ざわりがとてもやわらかかったので、きっとバレリアちゃんの目にもそう映るだろうと思ったからでした。

私は、タクシーを拾ってセンターに行きました。マギロバ夫妻は出かけていましたが、通訳が待っていてくれたので、いっしょにナターシャの病室を訪ねました。

ナターシャはちょうどバレリアちゃんに医者からもらったシロップをあげるところでした。

「具合はどう?」とたずねると、ちょっと風邪気味で頭が重いけれど大丈夫、と笑顔で答えました。

バレリアちゃんに買ってきたぬいぐるみを渡すと驚いた様子でしたが、一段と大きな笑顔を見せてくれました。

「ぬいぐるみなんて、初めてもらったわ。」

日本円でわずか三百円ちょっとのぬいぐるみに、こんなに喜んでもらえるとは思いませんでした。ナターシャは、「これ、手ざわりがいいわね」と言って、バレリアちゃんのほほをぬいぐるみでさすりました。

第6章

母と娘を追いかけて

それから三日ほどは、センターの活動を始め、ナルヴァの麻薬患者とその家庭、ホームレスとなった人たち、仕事がない若者たちなどの取材をしました。また、閉山された炭鉱の町を訪ねて、働きざかりの男性や職をなくした若者たちが友人の家に集まって麻薬を作り、注射器でまわし打ちする現場も取材しました。

でも、麻薬を使っているからといって、ギャングや不良たちではないのです。大工さんだった人、縫製工場や炭鉱でまじめに働いていた人、スーパーの警備員をしていた人、警察官、軍人、高校を卒業したばかりの青年など、みんなふつうの人たちなのです。そんなふつうの人たちが、みんな「生きていく希望」を持てずにいました。

ナルヴァは会社や工場がいくつもある町ではありません。農業がさかんな土地でもありません。働く場所がないのです。あったとしても、エストニア語をしゃべることのできない彼らのようなロシア系の人たちは、ほとんど雇ってもらえないのです。特に、十代の若者たちは自分の将来に夢も希望も持つことができず、何も期待していないと口々に言いました。

取材を進めるうちに、私自身の気持ちも重く苦しいものになっていきました。

（希望も期待することもないなんて。この人たちは見捨てられた人たちなのか？）

という思いでいっぱいになって、この町にいるのが苦しくて仕方がなくなるときもありました。

絶望した空気がナルヴァの町じゅうをおおっていたのです。

一方で私は、取材中ずっとナターシャとバレリアちゃんのことが気になっていました。

容態が悪くなったりしていないか、明らかにエイズを発病したとわかるような変化が起きていないか、バレリアちゃんは食事を取れているかなどと思いをめぐらせていました。

ひと通り取材を終えたある朝、ナターシャの病室を訪ねるとベッドが無くなっていました。ベビーベッドもありません。ナターシャもバレリアちゃんもいません。マスクをした中年の女性がモップをかけているだけでした。

(あれっ？　部屋を移ったのかな)

インタビューした院長たちがいなかったので、通訳の女性にたのんで、看護師さんたちに何が起こったのか聞きました。そうすると、昨日の朝、ナターシャとバレリアちゃんは、タリンの病院に運ばれていったと言うのです。

(何か変わったことがあったら、連絡をくださいと言っておいたのに……)

と、私は少し残念に思いました。でも、ふと医師たちにインタビューしたときの

「私たちにはどうすることもできない」という言葉を思い出しました。この病院ではもう手に負えなくなったのだろうとすぐに想像がつきました。

通訳の女性は、もっと設備の整った専門の病院に移すことにしたということ、それも医師たちがかなり急に決めたことであると、看護師の女性たちから聞き取りました。

センターでマギロバさんに伝えると、彼女も何も知らされなかったことに驚いていました。彼女はすぐに院長に電話をして、なぜ急に病院をうつったのか、その理由を聞いていました。

「バレリアが熱を出したらしいの。それで、どうしようもなく小児専門病院に送ったらしいわ。」

「バレリアちゃんが病気！　大丈夫なのかな。その小児病院はどこにあるのですか？」

「タルトゥです。エストニアでただひとつの小児専門病院があります。タリンではありませんよ。」

「そうですか。じゃあ、明日タルトゥへ行かなくては。バレリアちゃんとナターシャの容態を確かめなくては……それにどんな治療を受けるのか、取材しなければなりませんね。」

私はその晩、マギロバ夫妻と子どもたちにお礼を言って荷づくりをしました。もうこの町に来ることはないかもしれないと考えながら。

私は翌日、タクシーでナルヴァを離れました。タルトゥはナルヴァからおよそ五時間、エストニアで二番目に大きな都市です。有名な大学がある美しい都市で、住んでいる人たちも中流階級以上の人たちです。

タルトゥの街に着くと、ドライバーはかたことのエストニア語で道行く人たちに小児病院の場所をたずねました。そしてようやく小児病院に着いたときは、もう三時半を過ぎていました。

私は、受付でナターシャとバレリアちゃんがここに入院しているか調べようと、カメラを回したまま病院の中に入りました。撮影許可をもらっているヒマはありませんでした。

受付の女性は、来院患者のリストから二人の名前を見つけると、担当医師の所まで案内してくれました。

でも、ナターシャとバレリアちゃんはいませんでした。すでにタリンの病院に送られた後だったのです。担当した医師は、英語で説明してくれました。

「私たちの病院には、エイズの母親から産まれた赤ちゃんをケアするノウハウも薬もないのです。彼女たちがここにいても何もしてあげることができないのですよ。だから、すぐにタリンの国立中央病院に二人を運びました。」

あの二人は私の担当ではないと、自信に満ちた表情で男性医師は答えました。私は、お礼を言ってくるりと背を向けると、いらだちながら早足で廊下を歩きました。

（無責任な⁉　なんてこった。これじゃあたらい回しじゃないか！）

二人がいないとわかれば、この豊かな街に用はありませんでした。

私は、ドライバーに大急ぎでタリンに向かってくれるようにたのみました。ドライバーはタルトゥまでと思っていたらしく少し驚いた顔をしましたが、同じ金額を払うからと言うと納得した表情で車のエンジンをかけました。

タルトゥからタリンまでおよそ四時間ちょっと。疲れていた私は、車の後部座席に横になって、窓からずっと青空をながめていました。空気がすんでいるので透き通るような青い空と真っ白な雲。私は、絶望感に包まれたナルヴァの町と出会った人たちを思い出していました。

夜九時、ようやくタリンに到着しました。英語もエストニア語もわからないナルヴァのドライバーはバスの中央駅で私を降ろしました。私はそこでタクシーを乗り換えて、最初に泊まっていたホテルに向かいました。機材がずっしりと重く感じてもうくたくたでしたが、英語が通じるタリンにもどってきて、とても安心しました。

でも、タリンでの取材はけして楽ではありませんでした。国立病院の取材許可を取らなくてはなりませんでした。しかも、ナターシャとバレリアちゃんはこのときすでに、エストニアで初めて母とその赤ちゃんがウィルスに感染したケースとして正式に認められ、ほとんど隔離されていたのです。

ようやく二人に会えたときには、ナルヴァを離れてからすでに一週間が過ぎていました。

第7章

「あなたはけして一人ではない」

「今の体調はどう？　気分は？」

「気分はとてもいいわ。変わったことはないわ。それに、ここでは文句は言わないことにしているの。」

バレリアちゃんはベッドで眠っていました。となりにはあのぬいぐるみがおいてありました。

「毎日どんな治療をしているの？」

「ここは伝染病専門と聞いたわ。私は、この病院で初めて親子で入院したエイズ患者なんですって。エイズになって赤ちゃんを産んでいっしょに入院した第一号だって言われたわ。

私の血液を検査したり、いろいろな検査をしているわ。ビタミン剤ももらっている。ナルヴァでは薬にお金がかかったけれど、ここではすべて国が出してくれるの。

バレリアもいろいろな検査を受けているわ。お医者様の話だと、問題は赤ちゃんの体重があまり増えていなかったということなの。栄養をキチンと吸収できていなかったのかもしれないって。ナルヴァではミルクをいくらあげてもあまり体重が増えなかった。実は、自分の母乳を飲ませたいと何度も思ったの。でも、私の病気をこの子にうつしてしまったら絶対にいけないと考えて、我慢していたの。ここへ来てから、バレリアの体重が急に増えたわ。なぜだか分からないけれど……、神様がそうしたのかしら。」

「君はどんな治療を受けているの？」

「何にも受けてないわ。医者はこの子の治療しかしていないの。大人の治療はここではやれることはないらしいわ。」

バレリアちゃん

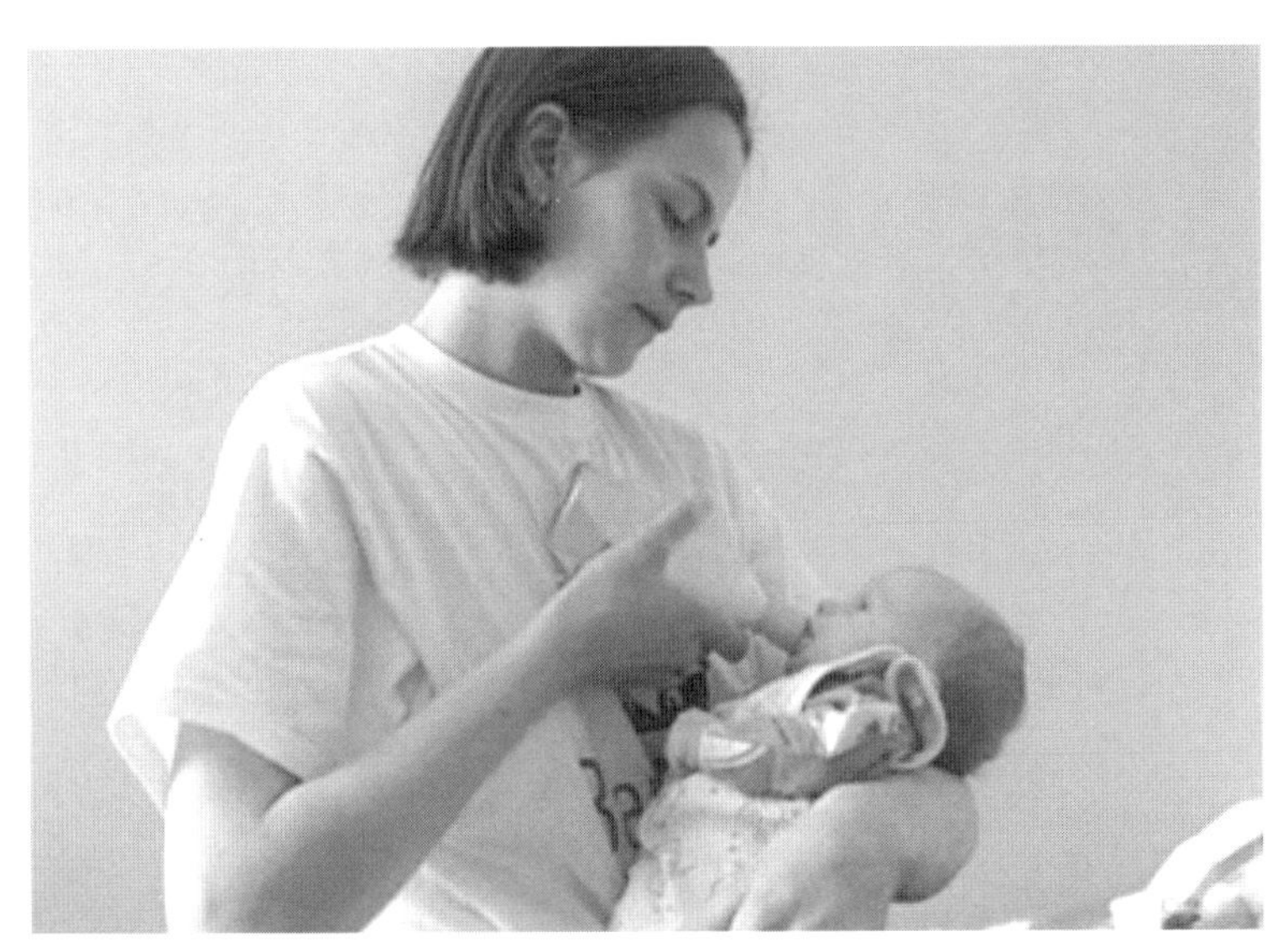

バレリアちゃんにミルクをあげるナターシャ

ナターシャ自身への治療は行われていませんでした。ナルヴァで飲んでいたシロップとビタミン剤だけです。すでにウィルスに感染してしまったら、エイズの発症を抑えることはできても、エイズウィルスそのものを殺すことはできません。今のところ感染していないバレリアちゃんの治療——ウィルスに侵されないような体を作る——ということに治療の重点は置かれているようでした。

ナターシャのようなエイズ患者の治療には、エイズの発症を防ぐための薬が必要です。それを毎日規則正しく飲まなければなりません。それにはやはりたくさんのお金がかかるのです。

「何事もうまく行っているの。」

ナターシャは、何も恐怖を感じていないとまじめな顔で答えました。

私は、あの笑顔はどこに行ってしまったのだろう？　と思いました。

「夜はどんな夢を見る？」

「そうね、この子のことかしら。でも、この子の父親のリョーシャも夢によく出てくるわ。彼のことはもう考えないようにしているんだけど、やっぱり考えてしまう。そうね、リョーシャのことを思ってしまうわ。」

ドアがノックされて、看護師さんがヒョコッと顔を出しました。

「天気がいいから、中庭を散歩してきたら？」

看護師さんの勧めに私たちは「そうですね」と答えました。

ナターシャは水色のカーディガンをはおって、寝ているバレリアちゃんを抱きあげて病室を出ました。私はカメラを持ってついて行きました。

芝生がよく手入れされた中庭には、緑がいっぱいで、太陽の陽射しが降り注いでいました。まぶしいくらいでした。私たちはどこの公園にもある木のベンチに腰かけました。バレリアちゃんの口もとがムニャムニャと動きました。

中庭では、ナターシャの他にもう一組の母親と三歳くらいの男の子がいました。男の子は逆立ちしようとしたり、でんぐり返しをして動き回っていました。ナターシャも私もしばらくその光景をながめていました。

ふいにナターシャが独(ひと)り言のように言いました。

「この子もあの子のように元気になるのかしら……。」

通訳(つうやく)が私の耳元でそっと伝えてくれました。

私は、何も答えませんでした。というより、答えられませんでした。


「病気がよくなったら何をしたい？」

「この街を見て回りたいわ。だってタリンには遠足でしか来たことがなかったから。街の様子なんて全然知らないんだから。できることなら、外に出て行きたい。乳母車(うばぐるま)を引いて。本当にしてみたいわ。」

と言いながら、ナターシャの顔に少しだけあの笑顔がもどってきました。

ナルヴァからずっと二人のことを考えながら追いかけてきた私は、すうっと緊張(きんちょう)の糸がほぐれた感じがしました。

ちょっと風が出てきたので、私たちは病室にもどることにしました。ナターシャの横顔は少し疲れて、白い肌がいっそう薄く白く見えました。

私は、ナターシャとバレリアちゃんに別れを言って、あいさつのキスをしました。部屋を出ようとしたちょうどそのとき、大通りに面した窓から、三人の男の子たちがナターシャに声をかけてきました。男の子たちはナターシャと同じ十五、十六歳くらいでした。ナターシャは、窓を開けて彼らにあいさつをしてから、少し待っているように伝えました。

「ケンジ、お願いがあるんだけど…。」

「何?」

「彼らには私の病気のことを言わないでほしいの。」

「あぁ、もちろん。君のことはエストニアでは放送しないっていう約束だったよね。」

ナターシャは笑顔でうなずきました。

私たちは、病室を出て病院の正面玄関から外へ出ました。一階の一番はしっこにあるナターシャの病室に目をやると、彼女が目を覚ましたバレリアちゃんを抱きながら、明るい笑顔で三人の男の子と話していました。

すると、男の子の一人がはずかしそうに、ナターシャに一本の赤いバラを手渡しました。彼女はとてもとてもうれしそうに笑いました。その少年はバレリアちゃんの頬を指でなでていました。

彼女はエイズ患者であり、娘もいます。これから乗り越えなくてはならない障害がたくさんあるはずです。でも今、彼女の表情は、私がこれまでに見たナターシャのどの笑顔ともちがっていました。

それは、新しい出会いの喜びに輝く一人のふつうの女の子の笑顔でした。

私はこの小さな友情がこのまま育ってくれたら、と願わずにはいられませんでした。

私は、ナルヴァのマギロバさんから受け取った名刺を思い出しました。名刺には、センターの名前の下に〝You will not be alone.（あなたはけして一人ではありません）〟と印刷されていました。

「あなたはけして一人ではない」——私は、とても優しい言葉だと思いました。

第8章

エイズをなくしていくために

エイズの研究は、世界中でたくさんのお金をかけて行われています。しかし、私たちはエイズの広がりを止めることができていないのです。

これ以上、感染を広げないための第一歩は、感染を予防するための具体的な方法を教えることです。その中で正確な知識を持つことができるようになります。

一方で、貧しさから薬が手に入らなかったりする人たちに、手を差し伸べていかなくてはなりません。

しかし、一番大切なことは一人一人が自分でしっかり考えて、周りに流されることなく行動するということです。

〝麻薬（ドラッグ）〟は、私たち人間の判断を鈍らせ、感覚を麻痺させます。〝麻薬〟は、私たちの暮らしの中に静かに、さらに深く入りこんで広まってきています。日本では今、十代の若者たちがかんたんに麻薬を手に入れています。インターネットを通じて、携帯電話を使って、友だちの間で広がり、おこづかいで買える値段のものもあります。また、いわゆる〝ソフトドラッグ〟〝合法ドラッグ〟と呼ばれるものは、日本中の繁華街の路上で堂々と売られています。

私から見れば、麻薬にソフトもハードもありません。要するに感覚を鈍らせて、「楽しければいいじゃん」という気持ちにさせてくれる〝危険な薬〟なのです。

私は、日本にいるとき、小学生も、中学生も、高校生も、大学生も、それに大人でさえ、麻薬やエイズの問題に関心がないことに驚くことがあります。

（楽しんだその後に生み出される怖さを、みんな知らないんだろうな。「まさか自分が……」って思ったときには、もうその苦しみを一生背負って生きていかなくてはならない。）

エイズは目に見えません。ふだんは単なる「ＨＩＶ／エイズ」という言葉でしか耳にしませんから、私たちは気にかけないかもしれません。

しかし、エイズは私たちの体の中に入ってくるために、私たちの心にできる隙間（すきま）をいつもじっとねらっているのです。

8. エイズをなくしていくために

〈資料〉

【ＨＩＶ（エイチアイブイ）／ＡＩＤＳ（エイズ）について】

ＨＩＶとは、ヒト免疫不全ウィルスのことです。

免疫とは、私たちのまわりにあるさまざまな細菌や病原体から体を守る機能のことです。

ＨＩＶはこの機能を破壊します。健康であればかからない病気になったり、すぐ治るはずの病気がなかなか治らなかったりするようになります。

感染しても、発症するまでに平均五年から十年かかるといわれています。これを潜伏期間といいます。

ＨＩＶにより免疫力が低下し、感染症や悪性腫瘍などを起こしている状態の人をＡＩＤＳ患者といいます。

HIV／AIDSの世界の推計総数

・HIV感染者数

三九五〇万人（三四一〇〜四七一〇万人）

・二〇〇六年のAIDSによる死亡者数

二九〇万人（二五〇〜三五〇万人）

※二〇〇六年十一月発表のUNAIDS、WHO合同報告書による

2006年末現在のHIV感染者の推計総数

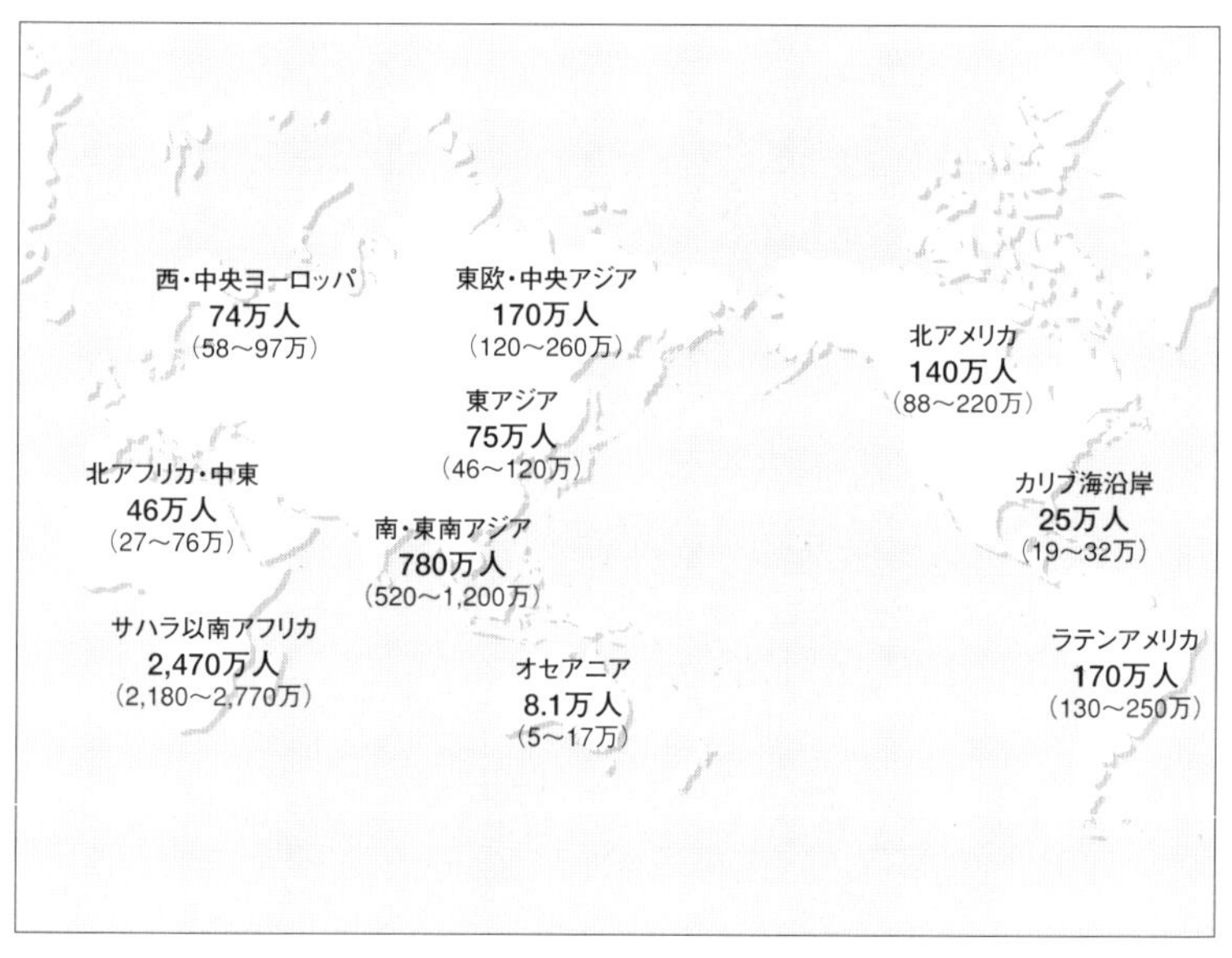

合計3,950（3,410～4,710）万人

2006年におけるAIDSによる死亡者推計総数

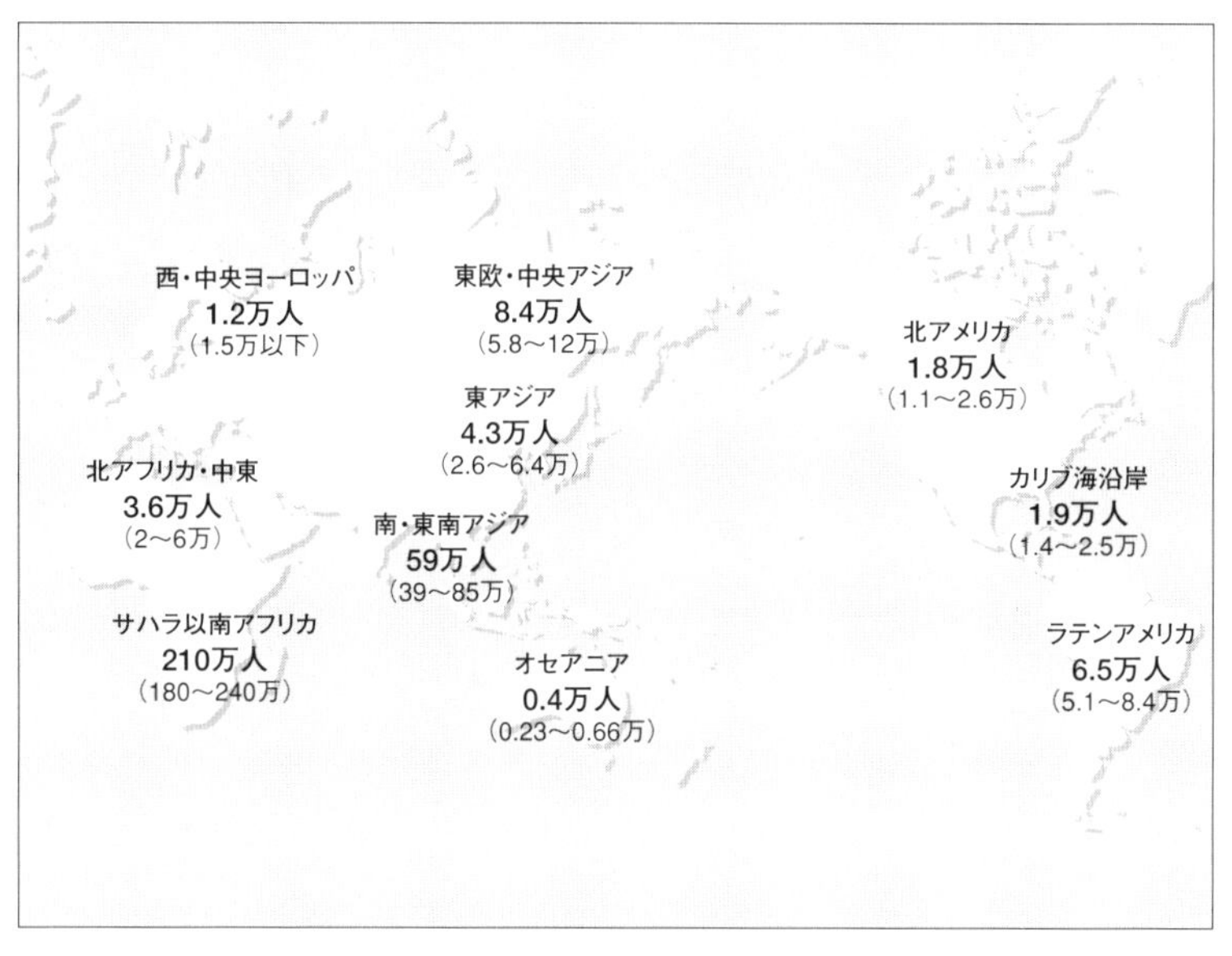

合計290（250～350）万人

※2006年11月発表のＵＮＡＩＤＳ、ＷＨＯ合同報告書による

日本における年ごとのHIV感染者数

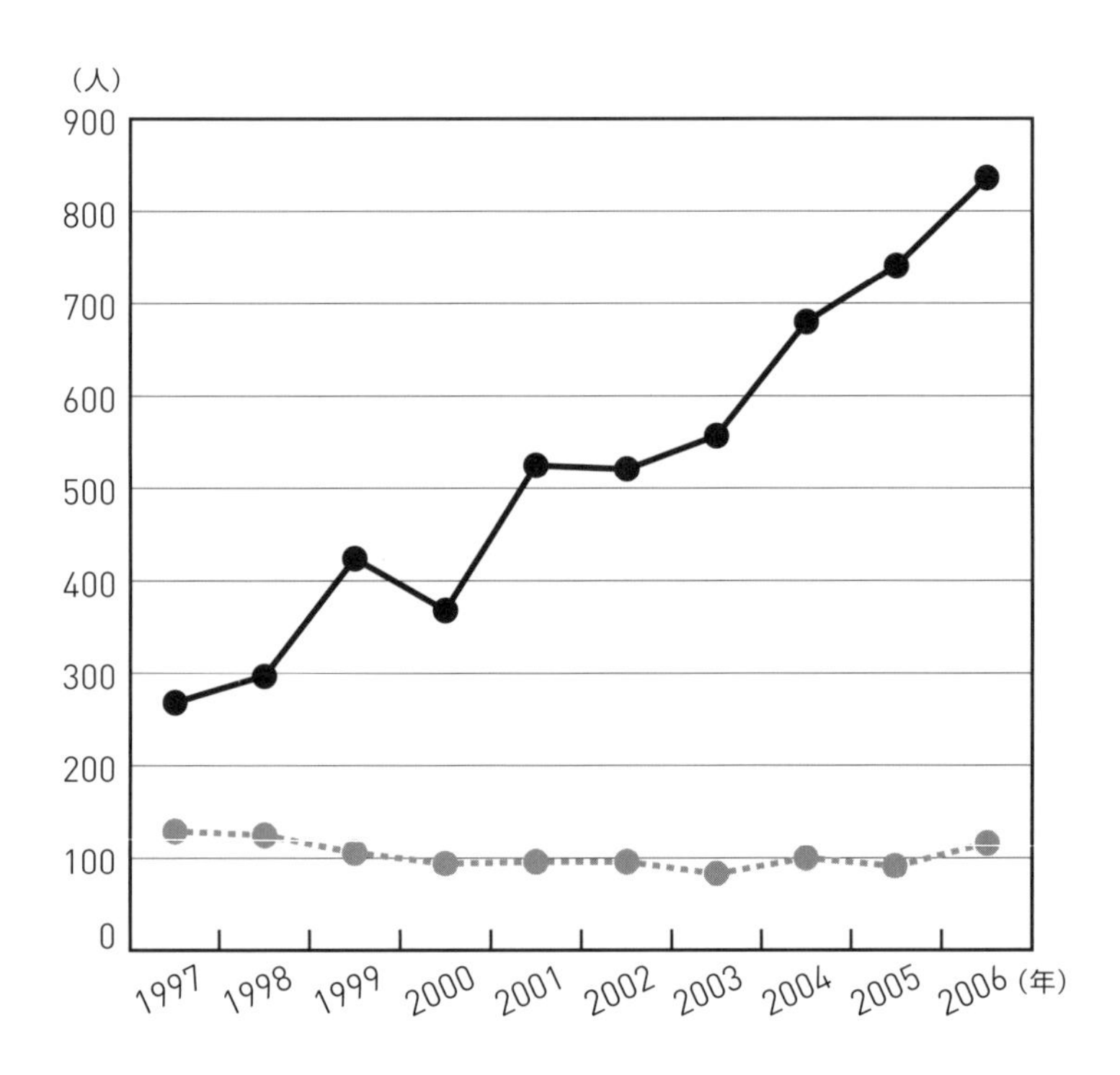

合計：日本国籍者　6,250人
外国籍者　2,094人

日本における年ごとのAIDS患者数

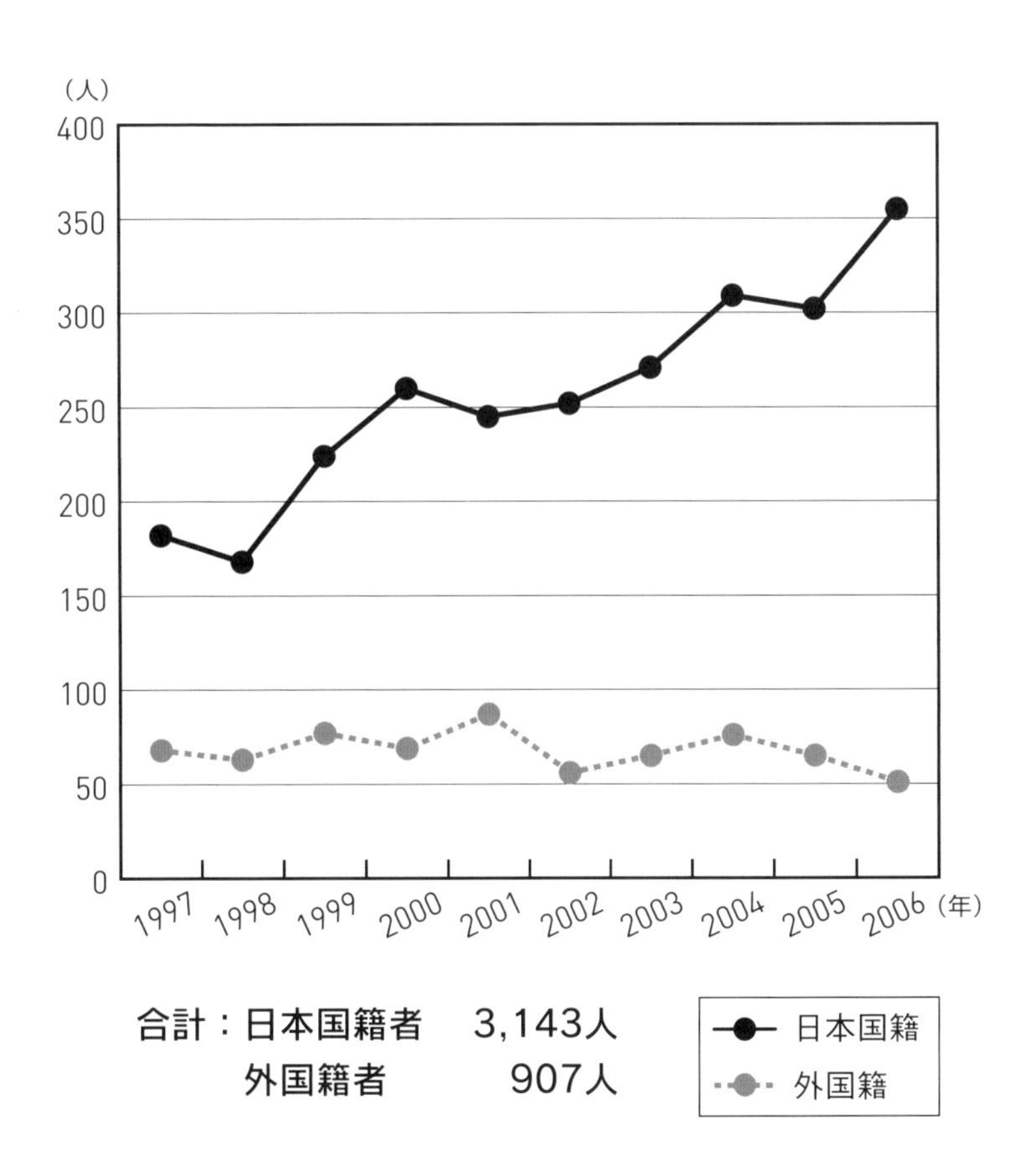

※厚生労働省エイズ動向委員会
「平成18年エイズ発生動向年報」より

あとがき

エストニアは、かつてロシアを中心につくられていたソビエト連邦（ソ連）という国の一部でした。一九九一年に独立した後、北ヨーロッパの国の豊かな国になることを目指して経済や社会の制度を整えようとしました。しかし、すぐにはうまく行きませんでした。特に、経済は落ちこみ、たくさんの失業者を生みました。また、エストニア人が自分たちの文化や言葉を取りもどそうとしたために、ソビエト連邦時代に移り住んできた人や、エストニアで生まれていっしょに住んでいたロシア系住民に対する差別が生まれました。ナルヴァという町は、そんな町のひとつです。結局、ナルヴァにはその後も何度か訪れましたが、私は、あの町を覆っていた絶望感と孤独感を忘れることができません。

エストニアはＨＩＶ／エイズに対する取り組みが進んで、現在は感染者の数も欧米の他の国と同じ位まで下がったと言われています。感染が認められた人は国から補助を受けられるようにもなりました。しかし、一方では今も麻薬を使う人はたくさんいます。

エイズをひきおこすウィルス（ＨＩＶ）の感染を防ぐ決め手は、何といっても予防教育です。

アジアでエイズ対策の先進国といえば、タイでしょう。かつてはエイズ大国とまでいわれた国ですが、今ではエイズ対策のもっとも進んだシステムを確立しています。エイズ患者そのものに対するケアは漢方薬なども取り入れて、発症を抑えることに成功していますし、エイズで親を亡くしたエイズ孤児と呼ばれる子どもたちの面倒を見る国立の施設や多くのＮＧＯも活躍しています。差別や偏見をなくす活動も国をあげて行ってきました。

中国では、貧しい農村に住む人たちが貧しさから血を売る――「売血」という行為が行われてきました。その際、注射針を使い回したことでエイズになってしまった人たちがいます。エストニアと同じ感染経路と言えるでしょう。また、コンドームを使う習慣もほとんどありませんでした。今、中国に行くと空港や町中にエイズの予防をはっきりとした表現で呼びかけた大きなポスターや広告が目につきます。有名な俳優が使われていて、彼が笑顔で感染の予防と正しい知識を身につけようと呼びかけています。エイズに関するコンサートやイベントも全国規模で開かれています。

一方、その点、遅れているのは日本です。

日本でエイズが最初に問題になったのは、病気の治療薬の中にエイズをひきおこすウィルスをふくんだ血液でつくられたものがあって、その治療薬を使った人たちがつぎつぎにエイズを発症して亡くなっていったという事件でした。知らない間に、それもエイズではない他の病気を治療している間に、患者の人たちはウィルスを体の中に入れられていた…しかも、そんな薬を国も医者も薬を作る会社もそのまま使い続けていたという、信じられないような出来事でした。

しかし今、もっとも深刻なのは男女の性行為による感染です。

先日、日本でエイズ予防財団という団体のポスターを見かけました。有名なロックグループのボーカリストが、自分も血液検査を受けたと、私たちにも血液検査を呼びかける内容でした。しかし、使われていた言葉があいまいで、いったい何のポスターなのか、何を訴えようとしているのか、血液検査をしなければならない理由が伝わってきませんでした。

なぜ、はっきりと「今日本ではエイズが増えていて、あなたも検査をしてみる必要がある」と言わないのでしょう。

先進国の中で唯一、日本がＨＩＶ／エイズの感染者が増え続けている理由は、私たちメディアで働く人間もふくめて、エイズに関する報道や広報活動にあまり真剣に取り組んでこなかったところにあるのかもしれません。また、学校の保健や性の授業でもきちんと取り上げて、教えなくてはならない問題です。大切な〝命〟にかかわる問題なのですから。

今はウィルスに感染したからといって、絶対に助からないということはありません。病気に対抗する人間の免疫力を高めるエイズの薬としてＡＲＶという新しい薬も開発され、発展途上国でも使われ始めています。しかし、課題はそうした薬をみんなが等しく手に入れることができるのだろうか、ということです。アフリカの国々などでは、薬がほしくても手に入らなくて亡くなっていく人たちが数え切れないほどたくさんいます。薬があっても必要とする人たちに届かなければ、「薬はない」ということと同じなのです。

私はいつもエイズという病気が、私たち一人一人に問いかけているように思います。

「あなたは、エイズを発症して苦しんで亡くなっていく人たちを見て、他人事ではなく自分にも関係があることかもしれないと思えますか？」

「エイズの母親から産まれてきた赤ちゃんを見たとき、あなたが何かできることはありませんか？」

「エイズで親を失ってしまった子どもたちになんとかして生きる希望を与えてあげられませんか？」

これらの問いかけに対する答えを見つけるきっかけに、この本がなってくれればと願っています。

不安や恐怖の中にありながら取材を受け入れてくれた現地の人たち、その人たちを助けようと必死に活動する人たち、そして、優れた番組や本を通して現地の人たちの声を伝えてくれた人たちに、心から感謝を申し上げます。初めに『ようこそ　ボクらの学校へ』（DVD＋本）を手がけて下さったNHK出版の松島倫明氏にあらためて深くお礼を申し上げます。

そして、わたしの本当に伝えたいことを掘り出し、時間をかけて何度も話し合いながら形にしていってくださった汐文社の村角あゆみ氏には言葉にはできないほどのお礼と心からの感謝を申し上げます。

最後に、くじけて逃げ出しそうになるわたしを元気づけてくれる家族に「いっしょにいてくれてありがとう」と言いたいと思います。

二〇〇七年十一月

後藤健二（インデペンデント・プレス）

後藤健二（ごとう・けんじ）

ジャーナリスト。1967年宮城県仙台市生まれ。番組制作会社をへて、1996年に映像通信社インデペンデント・プレスを設立。戦争や難民にかかわる問題や苦しみの中で暮らす子どもたちにカメラを向け、世界各地を取材している。ＮＨＫ『週刊こどもニュース』『クローズアップ現代』『ＥＴＶ特集』などの番組でその姿を伝えている。『ダイヤモンドより平和がほしい』（汐文社）で、産経児童出版文化賞を受賞。他、著書に「ようこそボクらの学校へ」（ＮＨＫ出版）がある。

カバーデザイン：オーク

エイズの村に生まれて

命をつなぐ16歳の母・ナターシャ

2007年12月　初版第１刷発行
2015年 2月　初版第７刷発行

著　後藤　健二
発行者　政門　一芳
発行所　株式会社 汐文社
東京都千代田区富士見2-13-3
角川第二本社ビル2F　〒102-0071
電話 03（6862）5200　FAX 03（6862）5202
http://www.choubunsha.com
印刷　新星社西川印刷株式会社
製本　東京美術紙工協業組合

NDC 916　ISBN978-4-8113-8474-0